SANTA CRUZ

DEL

VALLE DE LOS CAIDOS

MONUMENTO NACIONAL

DE

SANTA CRUZ

DEL

VALLE DE LOS CAIDOS

GUIA TURISTICA
DECIMOQUINTA EDICION
CORREGIDA Y AUMENTADA

MADRID
EDITORIAL "PATRIMONIO NACIONAL"
1977

Derechos reservados. Patrimonio Nacional.

Plaza de Oriente. - Madrid (13)

IMPRESO POR FISA - BARCELONA

Dep. Legal B. 19202-X X

ISBN - 84 - 7120 - 003 - 1

DEDICACION

EL Monumento a los Caídos por España, idea concebida durante la Cruzada y ratificada al término de la misma, debe ser estimado por todos los españoles como justo tributo a la memoria de quienes, en defensa de un tan puro ideal, hicieron desinteresada entrega del mayor y más rico patrimonio del hombre: la vida.

No sería leal, por parte de los que sobrevivimos a la conmoción de la lucha, condenar al olvido la acción y el esfuerzo de cuantos fraternizaron con nosotros en la consecución de la victoria. Pero este recuerdo, que en su expresión material puede plasmarse de formas muy diversas, sólo puede tener como única manifestación espiritual aquella que nos conduzca y anime a formular una plegaria. Para la pureza y autenticidad del designio no podría, pues, encontrarse mejor paralelismo de incorruptible puridad que la exaltación de la Santa Cruz, y ella es, precisamente, la que ocupa un lugar de predominio absoluto en el Monumento, enalteciendo el sacrificio y la abnegación de los héroes de la historia de España, a través de la elevación de la piedad religiosa, fundamento de lo más altamente humano.

Se ha prescindido en el Monumento de esa corriente secularizadora de vinculación agnóstica, incompatible con la sencillez y profunda religiosidad del pueblo español, acrecentándose, como consecuencia, en su virtualidad intrínseca.

Múltiples factores tenían que converger en su construcción, si ésta había de interpretarse como pronunciamiento expreso en torno a las cuestiones cardinales y permanentes del hombre. Si el Monumento se nos manifiesta, por sí mismo, como tesis colectiva de vida y de fe, las piedras levantadas habían de tener la grandeza de los monumentos antiguos por cuanto están ordenadas a desafiar al tiempo y al olvido. Su edificación colosal y ciclópea, por otra parte, debe ser una respuesta muy concreta a toda cuestión relativa a la capacidad artística y, en especial, arquitectónica de nuestro tiempo. Y aunque sólo fuere por esto quedará inscrito en la lista de las nobles hazañas.

A ninguno debe extrañar que, dado su carácter nacional y su consagración al hombre de España, sea el centro geográfico de nuestro país el lugar elegido para su erección, compartiendo el dominio del valle con la maravilla escurialense y proclamándose punto central de esa cruz idealizada que forman en su corte las cordilleras Carpetana e Ibérica. Y no deja de ser significativo que mientras el Monasterio de El Escorial —heredero en su destino de los grandes panteones reales de San Isidoro, Guadalupe, Leyre, San Juan de la Peña y Poblet— da cobijo a la máxima jerarquía social, sea el Monumento de Santa Cruz del Valle de los Caídos auténtico cenotafio dedicado a los hombres que supieron alcanzar los más puros valores de un pueblo. Para los españoles no será el Monumento tumba de soldado desconocido. Nuestros héroes, como hombres justos, rectos, de inmaculada pureza, tienen por nomen y cognomen *el que les dan los principios de unidad de religión, de equidad en lo humano y de exaltación a la Patria, por la que cayeron.* Y si la robusta horizontalidad de los brazos de la Cruz monumental ampara por igual a todos los españoles, su esbelta línea perpendicular se erige en faro de religiosidad cimentado con el ideal de los mejores, quienes responden unánimente al nombre de España.

EL Monumento de Santa Cruz del Valle de los Caídos está enclavado en el término municipal y partido judicial de San Lorenzo de El Escorial. El recinto, con sus edificaciones, constituye un predio, acotado y tapiado, formado por 1.365 hectáreas, que limitan al Norte con el municipal de Guadarrama y al Sur con el arroyo del Guatel, finca de la Solana y monte de La Jurisdicción. Corren al Este la carretera de El Escorial a Guadarrama y finca La Solana, y al Oeste los términos municipales de Peguerinos y Santa María de la Alameda. Su altitud está comprendida entre 985 y 1.758 metros sobre el nivel del mar, perteneciente esta última al Risco de los Abantos.

Dista de Madrid 58 kilómetros, 55 de Avila y 45 de Segovia, y el acceso al Valle ha de hacerse, si se parte de la capital de España, por la llamada carretera de *La Coruña*. Una cuidada autopista nos conduce hasta *Las Rozas*, lugar donde se bifurca: la carretera de la izquierda se dirige a San Lorenzo de El Escorial y la de la derecha a Segovia, por el Puerto de los Leones. Todo el recorrido ofrece al viajero pintorescos panoramas velazqueños.

Si tomamos el camino del Puerto de los Leones, poco antes de llegar al pueblo de Guadarrama (Km. 50), y después de haber pasado el puente sobre el río de ese nombre, se sigue a la izquierda, por la carretera que conduce a El Escorial. Un recorrido de 8 Kms. nos situará ante la puerta de entrada. La grandiosidad del Monumento y las construcciones con él colindantes nos señalan su emplazamiento.

Ante los ojos se ofrece un valle bravo y recio, bellísimamente dispuesto. Por todas partes aflora la roca, y sólo el pino, la jara, el roble y el chopo, este último en algún rincón, han conseguido arraigar para revestir la dura corteza. Existen vestigios de encina y acebo, enebro y juagarzo, que junto a la zarzamora y el tomillo, la majorana y el torvisco, se encargan de dar al paisaje la austeridad que reclama la vecina sierra del Guadarrama.

En la cabecera de una garganta montañosa, aislado y poderoso, el Risco de la Nava se yergue como un cono apretado de roca viva. Por tres de sus lados le rodean próximas montañas, dominadas, a su vez, por los picachos de Navacerrada. El lado abierto, que mira a Oriente, muestra un ancho y profundo valle de grandiosa belleza.

Concebida la idea del Monumento por el Jefe del Estado, a él se debe también, la elección del lugar de emplazamiento. Dada la concepción a la que se quería servir, el sitio elegido ha sido factor esencial en el éxito del empeño, y a medida que vaya conociéndose el Valle de los Caídos se consagrará como uno de los rincones más armoniosos y de mayor carácter del mundo.

Los apoyos y alientos que a la realización del proyecto se han prestado por parte del Generalísimo Franco no han sido formularios, ni sus giras a las obras, visitas de pura inspección protocolaria. Verdadero arquitecto espiritual del Monumento, la obra estaba diseñada en los planos intangibles de su memoria, y salvo el desarrollo técnico, reservado, como es de rigor, a los profesionales, nada se ha hecho sin su consejo ni a su atención escapó el más mínimo detalle. La idea que se ha desarrollado, nacida de una vez y ya completa en la mente del Caudillo de España, comprendía la de un gran templo abrigado en la entraña de un monte, y al exterior, coronándole, una Cruz monumental. Complemento obligado, la construcción del Monasterio que había de atender los servicios del culto.

Promulgada, por Decreto de 1.º de abril de 1940, la erección del Monumento, se confían los trabajos de dirección y realización de diseños a don Pedro Muguruza Otaño, Director General de Arquitectura y primer arquitecto español de aquel entonces.

Inícianse rápidamente los trabajos de la actual Hospedería y Centro de Estudios, y se da comienzo a la apertura en el interior de la montaña del hueco destinado a Cripta. Sucédense los informes sobre la formación geológica del terreno y climatología del lugar, se convocan concursos, se presentan proyectos y se redactan planes encaminados al desarrollo de la obra. La complejidad del proyecto exigió desde los comienzos una dedicación completa, que el ilustre arquitecto-director no puede prestar a partir de 1948 por causa de penosa enfermedad.

En estas circunstancias, y tras varios intentos de colaboración técnica, en el año 1950 asume la dirección de las obras don Diego Méndez González.

Diez años habían transcurrido y quedaban por resolver las dos partes fundamentales del Monumento: la Cripta y la Cruz.

El punto neurálgico del Monumento era, sin duda, la construcción de la Basílica por cuanto suponía perforar el Risco de la Nava y dar albergue en él a un templo gigantesco. De otra parte, si se deseaba que éste gozase de la grandiosidad que el proyecto reclamaba, se hacía necesario ampliar la perforación realizada hasta entonces y que sólo alcanzaba a un túnel de 11 por 11 metros, dimensiones que se han conservado para los espacios que preceden a la gran nave actual, cuya altura se eleva, ahora, a 22 metros. La nueva rectoría de las obras acometió los trabajos de ampliación de la Cripta con conocimiento de los problemas que ello representaba y sin olvidar que sobre el monte vaciado había de emplazarse la Cruz monumental, con sus pesadas toneladas de hormigón y de granito.

Fácilmente se comprende, pues, que la realización de semejante obra no admitía una rápida planificación y racionalización del trabajo. Como obra de verdadera creación y de singular planteamiento, las dificultades que aparecían en su proyección y desarrollo requerían nuevas soluciones, que Diego Méndez ha sabido vencer en la manera acertada que presenta el conjunto actual.

En noviembre de 1950 se terminan las obras de la actual Residencia y se aprueba el proyecto de la Cruz, cuya construcción se inicia en 1951; en 1952 se proyecta la explanada y se aprueba la ampliación del hueco de la Cripta, cuyos trabajos continúan en 1953 y 54, en que se proyectó la terminación del crucero. Iníciase en 1955 el revestimiento de cantería de las paredes y bóveda de la Cripta, galerías y sacristías. Corresponde al año 1956 la realización del coro, altares y pavimentación de la Cripta; por último, en 1957, se proyectó el pórtico posterior y el gran claustro, el Monasterio y el Noviciado, obras que concluyeron en 1958.

Los numerosos y heterogéneos problemas - técnicos, estéticos, expresivos y de interpretación - han sido resueltos y la solución ha plasmado en una cruz monumental en lo alto de la montaña, y en su interior, un templo grandioso. El inspirado desarrollo de la idea es lo que da carácter y fisonomía singular e inconfundible al Monumento, en el que se han concitado numerosas aportaciones, que van desde el trabajo manual de gran riesgo y esfuerzo a las concepciones más generales y decisivas, vertidas en la línea y perfil del conjunto constructivo.

Todos los trabajos fueron seguidos, muy de cerca, por S.E. el Jefe del Estado, que periódicamente visitaba las obras y prodigaba los consejos y sugerencias como verdadero creador y artífice del Monumento.

La contemplación del Monumento del Valle de los Caídos no debe abordarse al ras del suelo y con la mirada puesta en las circunstancias e incidencias de la vida histórica menuda. Su misión es la de reconocimiento y postulado de unos ideales pregonados por un pueblo; por ello se acogen en él los temas de acción, y por el mismo motivo sólo tienen cabida los sentimientos colectivos frente a los de íntima religiosidad individual.

Entrada al Valle.— Los Juanelos.

Situados ya en el recinto del Valle, una ancha carretera nos conduce al Monumento. A pocos metros de la entrada, a derecha e izquierda de la carretera, están emplazados cuatro gigantescos fustes monolíticos conocidos con el nombre de LOS JUANELOS. Proceden de las canteras de Fonseca y Nambroca y fueron labrados en el siglo XVI para ser utilizados por el célebre Juanelo Turriano. La actual disposición les da carácter de centinelas del Valle, cuyo acceso vigilan.

Un airoso viaducto salva las variantes del terreno y acertadas raquetas nos llevan a la escalinata que asciende a la explanada y a la Cripta, al Monasterio, Hospedería o Centro de Estudios Sociales, ya a los caminos del Vía Crucis o bien a la monumental Cruz que corona y domina el Valle.

Escalinata y explanada.

Desde la carretera se asciende a la gran explanada por una magnífica escalinata, de 100 metros de anchura, dividida en dos tramos, cada uno de diez peldaños, número que simboliza los diez mandamientos del Decálogo, como vía de ascensión y perfección moral a que llama la Fe. Está asentada sobre roca viva y su coronación nos sitúa en la gran explanada, que comprende una superficie de 30.600 metros cuadrados. Su pavimento forma una cruz en planta que deja, en los cuatro ángulos, cuadrados enlosados con piedras de forma irregular, cuyas uniones se delinean con trébol y rey-gras. Un pretil ancho y fuerte enmarca esta parte central de la explanada, separándola de otras dos laterales a las que se desciende por escalinatas, también graníticas.

Nueva escalinata de quince pasos, de 63 metros de anchura, conduce a la puerta de la Cripta, que aparece flanqueada por dos alas de arquería de clásico estilo.

La Cruz Monumental.

En lo externo y monumental del conjunto constructivo del Valle, la Cruz es lo decisivo y esencial. Ella misma, por sí sola, se yergue como proeza incesante que reclama imperiosamente la contemplación y llena con su presencia el ámbito visual. La belleza de sus líneas, la justa proporcionalidad de los elementos que la componen, su comparación dimensional con la montaña, su acertado nacimiento de la graciosa crestería que forma la masa rocosa del Risco de la Nava y la elegancia que adquiere al recostarse sobre el cielo, son factores que contribuyen a valorar el Monumento desde el punto de vista estético. Este conjunto estético es, como ya se ha dicho, inspiración directa del Caudillo, quien muchas veces, con su propia mano, modificó planos y proyectos hasta conseguir ver hecha una realidad la idea que tenía.

Consta la Cruz de tres partes principales: un basamento sólido y firme, al que van adosadas las figuras de los cuatro Evangelistas; sobre éste, otro más pequeño, que sirve de arranque al fuste, en cuyos ángulos se han colocado las imágenes de las cuatro Virtudes Cardinales; y, finalmente, la Cruz propiamente dicha. Llega el primer basamento hasta los 25 metros, alcanza el segundo los 42 metros y la Cruz, en su totalidad, los 150 metros sobre el nivel de su base, y 300 metros si se parte de la explanada de entrada a la Cripta.

En cuanto a su delineación, está lograda por la penetración de prismas rectangulares, que forman una cruz griega en la sección transversal, con una suave gola realzada que amortigua la arista exterior de cruce de los dos prismas.

Ganada la batalla a lo que llamaremos perfil de la Cruz, que-
daba la más importante: su construcción. Un nuevo éxito
supuso planearla desde dentro, como si se tratase de una
chimenea, simplificándose el acarreo de materiales mediante
la perforación longitudinal del Risco de la Nava, desde su
parte posterior, hasta unirse con la vertical de la base de
la Cruz. La instalación de un montacargas permitía elevar
las enormes piedras, eliminaba todos los riesgos y evitaba
los daños irreparables que al monte habrían producido los
arrastres y desperdicios que lleva consigo una obra tan ex-
cepcional.

En tanto se efectuaba la construcción del fuste de la
Cruz no se presentaron grandes dificultades, pero éstas sur-
gieron al pasar de la línea vertical a la horizontal de unos
brazos de 46 metros de longitud, en cuyos pasillos interiores
pueden cruzarse dos vehículos de turismo.

Contribución escultórica a la solución de la Cruz.

Para el desarrollo del proyecto de la Cruz sintió el arquitecto la necesidad de una especial colaboración escultó-
rica. Planeada ésta a base de representaciones de los doce
Apóstoles, fue depurándose la idea hasta quedar reducida
a las figuras de los cuatro Evangelistas, en la base propiamente dicha, y las cuatro Virtudes Cardinales, en la zona de
transición desde la base al fuste. Concebíase todo ello como
paso obligado desde la crestería natural que presenta el
Risco de la Nava hasta la línea pura del fuste y brazos de
la Cruz.

De la misma forma que en lo arquitectónico, la aportación escultural presentaba dificultades nacidas del colosal tamaño de las figuras y como consecuencia de la aplicación de los sillares que forman los grupos. Los cánones ordinarios o normales estaban destinados a desaparecer, al ser colocadas las figuras ante un volumen fuerte y vigoroso, de fantástica modulación que, por sí mismas, ofrecen las rocas del Valle. Sólo quien mantuviera íntima compenetración con la parte que a la naturaleza corresponde en el Monumento, y quien hubiera sorprendido la expresión torturada y llameante de las piedras del Risco, podía lograr la acomodación mental imprescindible, a efectos de que la escultura fuese tránsito amable entre la roca y la Cruz.

La contemplación de la Cruz desde su base nos lleva a reconocer que así como en este Monumento la arquitectura ha emprendido, por primera vez, la tarea de alterar con la naturaleza, utilizándola y sirviéndola, la escultura de Juan de Avalos, a cuyo cincel se deben grupos y figuras, ha sabido asumir el papel que le correspondía, adquiriendo su modelado todo el vigor que el Valle demanda. La figura de San Juan, inclinada hacia adelante, en actitud de marcha cortando el aire; la de San Lucas, a horcajadas sobre la testuz de toro de erguida cabeza; la de San Marcos, en violento ademán de torsión con el león, y la de San Mateo, en actitud de leer sobre descomunal libro, son otras tantas rocas del monte, al que les une, además, el color negro de su piedra.

Cada uno de los Evangelistas tiene 18 metros de altura, que es justamente la de una casa de seis pisos; la totalidad de los grupos escultóricos suponen 20.000 toneladas de peso que unidas a 181.740 de la Cruz, hacen un total de 201.740 toneladas.

Portada.

Dos arcos de medio punto, el interior con dovelaje total almohadillado, inscritos en un recuadro de líneas sencillas, forman la gran portada.

La puerta, de bronce, es obra del escultor Fernando Cruz Solís. Mide 10,40 por 5,80 metros, y su decoración, en relieves acuartelados desarrolla los quince misterios del Rosario; por el zócalo inferior corre una leyenda con dichos de los Apóstoles. Las escenas, tratadas con la elegancia y austeridad de los grandes imagineros, ponen de manifiesto la calidad del artista y su conocimiento de los métodos actuales de fundición.

Sobre la cornisa de la portada, y como coronación de ésta, se emplaza el grupo escultórico de la PIEDAD, obra de Juan de Avalos, autor también de los conjuntos estatuarios de la Cruz.

La representación de Cristo Yacente, ligeramente incorporado y sostenido por su Santa Madre que le contempla, goza de un singular patetismo, y la misma desnudez del Valle contribuye a realzar la belleza del grupo. El emplazamiento exterior de la escena, a corta distancia visual del lugar en que está enclavada la Cruz, la reciedumbre de las figuras, sus dimensiones y tonalidad de la piedra, provocan una reacción en el ánimo del espectador menos creyente.

La estrecha colaboración entre arquitecto y escultor se pone aquí de manifiesto, debiendo estimarse la simplicidad de la portada como una generosa concesión a la belleza plástica de la estatuaria.

El grupo, en piedra negra de Calatorao, mide 12 metros de longitud y 5 metros de altura.

La Cripta.

En la Cripta hicieron acto de presencia todas las dificultades inherentes a la original concepción del Monumento. A los problemas estéticos uníanse los constructivos, aunque éstos de forma inversa a lo que es tradicional. Mientras en la construcción al exterior de las grandes naves abovedadas la dificultad estriba en sostener la cubierta y compaginar su peso con el espesor de los muros, en la Cripta del Valle, como consecuencia de haber ganado espacio al risco violentando su estabilidad inerte y milenaria, la presión no es sólo de arriba a abajo, sino también en los sentidos laterales.

Su total longitud es de 262 metros, y su máxima altura, en el crucero, de 41 metros. Este espacio, por orden de entrada, comprende: vestíbulo, atrio, el llamado espacio intermedio, la gran nave y el crucero. Aunque cada una de las partes citadas poseen decoración y disposición propia, existe entre todas la debida unidad, como subordinadas a una función.

Vestíbulo, atrio y espacio intermedio disponen, cada uno de ellos, de una superficie de 11 metros de anchura, elevándose a otros 11 metros la altura de sus bóvedas. Auméntase la altura a 22 metros en la gran nave. En cuanto a su decoración, está lograda por los mismos elementos constructivos. Como consecuencia, forman la del Vestíbulo cuatro anchos pilastres unidos por arcos fajones de medio punto y bóvedas con lunetos correspondientes a los arcos laterales. Se emplea en el Atrio una decoración más rica, a base de pilastras en talud con bóveda y arcos fajones de medio punto, adornando éstos sencillo encasetonado. En el espacio intermedio, cubierto por bóveda de arista, se alojan, en dos grandes nichos, dos arcángeles gigantescos, obra de Carlos Ferreira, en actitud vigilante y de meditación. Presentan las alas levantadas y apoyan sus brazos, echados hacia delante, en la empuñadura de la espada hincada en los plintos. El descenso de diez escalones, número canónico en la simbología del Monumento, nos sitúa ante la reja.

La Reja.

La entrada, propiamente dicha, a la gran nave de la Cripta se hace a través de una reja forjada por el artista José Espinós Alonso.

Sin duda, el arquitecto de la obra general, a quien se debe la delineación de la reja, al igual que todos los elementos decorativos y ornamentales del Monumento, comprendió la necesidad de delimitar la gran nave, y dada la tradición que en España tiene el arte de la forja, resulta acertada la colocación.

Forman la reja tres cuerpos perfectamente definidos, cuya separación está marcada por cuatro machones: dos adosados a los muros y otros dos que hacen de jambas para el juego de la puerta central. En los citados machones, de iyquierda a derecha y de arriba a abajo, aparecen adosados al cuerpo de la reja figuras de Santos Mártires y de Santos Héroes (1), tema que predomina también en la decoración de la Cúpula. Una crestería formada por ángeles, en los extremos, e insignias de héroes y mártires como remate de los machones centrales, acompaña a la figura de Santiago, que aparece en el centro, coronada por Cruz y Angeles.

Los espacios entre los machones se cubren por siete barrotes en cada lateral y dieciocho en las hojas de la puerta.

En su conjunto, la reja tiene la gracia del estilo plateresco, dentro de la modernidad con que están tratadas figuras y adornos. Una sobria policromía, difuminada por la misma luz de la Cripta, da carácter de ligereza y transparencia a la obra en general.

(I) Las figuras que miran al Vestíbulo y Altar Mayor, respectivamente, están colocadas con arreglo a la siguiente disposición:

CARA AL VESTÍBULO

PRIMER MACHÓN	SEGUNDO MACHÓN	TERCER MACHÓN	CUARTO MACHÓN
San Marcos	San Vicente	San Simón	San Jorge
San Mateo	San Lorenzo	San Francisco de Asís	San Gorgonio
San Lucas	San Javier	San Millán	Sta. Juana de Arco
San Juan	San Andrés	San Antonio Abad	Santiago
San Juan Crisóstomo	Sta. Cecilia	San Magín	San Franciso de Borja

CARA AL ALTAR MAYOR

San Antonio	San Eduardo	San Pablo	Sto. Domingo de Guzmán
San Frutos	San Luis	San Agustín	San Hermenegildo
San Francisco de Paula	San Mauricio	Santo Tomás	San Pedro
Santo Domingo de la Calzada	San Ignacio	San Juan de la Cruz	Sta. Bárbara
San Macario	San Fernando	Sta. Teresa	San Esteban

Gran Nave.

Se presenta la gran nave dividida en cuatro tramos, marcados por series de grandes arcos fajones, cruzados en la bóveda para formar casetones que muestran al desnudo la roca viva, ánima del monte donde se alberga la Cripta. A derecha e izquierda se abren seis pequeñas capillas, denunciadas en los muros de la nave por grandes relieves de alabastro. Correponden a las advocaciones marianas relacionadas con la intención y el motivo del Monumento. A la derecha, la Inmaculada, y las Vírgenes del Carmen y Loreto, como patronas de los Ejércitos de Tierra, Mar y Aire, esculpidas por Carlos Ferreira las dos primeras y Ramón Mateu la tercera. A la izquierda, la Virgen de Africa, de la Merced, patrona de los Cautivos, y del Pilar, debidas a Ferreira, Lapayese y Mateu, respectivamente.

En las capillas, la decoración es muy sobria: frontales de altares con temas marianos y trípticos pintados en cuero, a la manera de los guadamecíes españoles de recuerdo y traza medieval, se compaginan con estatuas de Apóstoles, emplazadas en los muros laterales. Pinturas y esculturas son de mano de Lapayese, padre e hijo.

Hay en el efecto estético global de la Cripta un cierto sabor de primitivismo, que en este caso no es efecto buscado y de amaneramiento, sino fruto de denodada lucha con problemas arquitectónicos hasta ahora inéditos. Las soluciones no son de elección entre un repertorio, sino de invención o hallazgo ante dificultades no conocidas con anterioridad. Por eso estamos ante soluciones esenciales, unitarias, gruesas y simples, que tan fielmente reflejan la nobleza y el alto rango moral de esfuerzo constructivo.

Tapices del Apocalipsis.

Los espacios murales de la gran nave de la Cripta, en la parte donde convergen los arcos fajones de la bóveda, están decorados con los ocho magníficos paños de la serie del *Apocalipsis de San Juan.*

Se trata de una admirable tapicería de oro, plata, seda y lana, de fecha no posterior a 1540, a juzgar por la indumentaria, arquitectura y carácter artístico de las escenas representadas. Fue tejida por el bruselés Guillermo Pannemaker, cuyas marcas aparecen en cuatro paños, y adquirida por Felipe II, que la trajo a España en 1553. Desgraciadamente se desconoce el nombre del eximio artista que pintó los cartones, aunque todo parece indicar que debió tener presente las composiciones apocalípticas de Alberto Durero y Juan de Brujas, suponiéndose fue su autor Bernardo Van Orley, quien, con una interpretación e inspiración completamente originales, supo unir las propias influencias del arte de Flandes y las italianas del Renacimiento que llegaban entonces a los Países Bajos.

Por la riqueza de imaginación derrochada en el desarrollo de los asuntos, la gracia y soltura con que están jugados la diversidad de elementos, que se subordinan a una unidad superior, colorido y valoración material de las hilaturas, esta serie del *Apocalipsis* es una de las cumbres del arte universal y varios son los autores que la califican de "Capilla Sixtima del arte del Norte". Cada tapiz mide 8,70 x 5,30, incluídas sus variadas y ricas cenefas.

El *Apocalipsis,* palabra griega que significa revelación, contiene la que hizo el Señor a San Juan Evangelista en el destierro de Patmos. Es el único libro profético del Nuevo

Testamento, y en la tapicería que describimos se narra en forma ordenada y sucesiva el texto de San Juan, incluyendo, además, la Apoteosis del Señor, quien contempla, desde su Gloria, lo que ocurre en cada lienzo.

PAÑO I.— Comienzo de las revelaciones a San Juan en Patmos, hechas por los 7 ángeles, representantes de las 7 iglesias de Asia.

Escena 1.ª— Dos ángeles sosteniendo una cartela; detrás de ellos el árbol de la vida. *Escena 2.ª*— El Señor, sentado sobre doble arco iris, presenta, en su mano izquierda, el Evangelio abierto; rodean la derecha siete estrellas; junto a su cabeza la espada llameante de doble filo (la palabra divina); postrado a sus pies, San Juan recibe las revelaciones. La escena se enmarca con los siete candelabros y se orla de nubes. *Escena 3.ª*— San Juan, sentado, recibe las revelaciones de los ángeles representantes de las siete iglesias de Asia: Efeso, Esmirna, Filadelfia, Laodicea, Pérgamo, Sardis y Tiatira, figuradas en hermosas arquitecturas. *Escena 4.ª*— El Angel, desde una orilla del río de la vida, muestra a San Juan, arrodillado en la opuesta, la Apoteosis del Señor, quien, entronizado con el Cordero y el Libro y flanqueado por el Tetramorfos, es rodeado por los 24 ancianos, que ofrecen sus coronas de oro y las siete lámparas; todo ello orlado de nubes y estrellas.

PAÑO II.— Comienzo del Juicio Final.

Escena 1.ª— Los cuatro jinetes del Apocalipsis. Entre nubes, acompañados de los Símbolos de los Evangelistas, aparecen los tres jinetes (el hambre, la peste y la guerra); debajo, el cuarto jinete (la muerte) destruyendo a la humanidad, y tras él, el infierno en forma de monstruo. *Escena 2.ª*— Caída del Sol, la Luna y las Estrellas para destruir la Tierra; las gentes claman y se cobijan en los montes. *Escena 3.ª*— Un ángel, portador de la Cruz, signo de la Redención del Señor, ordena a otros cuatro, situados en los ángulos de la Tierra, sujeten a los vientos para que no la hagan mal. *Escena 4.ª*— El Angel signaliza a la muchedumbre, arrodillada, de los Justos con la marca o sello de Dios. *Escena 5.ª*— Angeles, sobre el Ara del Señor, reciben las almas de los Justos representadas por figuras desnudas a las que visten con ropajes celestiales.

PAÑO III.— Destrucción de la Humanidad por las plagas y Adoración del Cordero.

Escena 1.ª— El señor entrega las trompetas a los ángeles que anunciarán el comienzo de las plagas. Ante el Altar del Señor, un ángel dispuesto para dar la señal. *Escenas 2.ª* y *3.ª*— Representación de las plagas. *Escena 4.ª*— San Juan, arrodillado, contempla la Apoteosis del Cordero, cuya sangre recibe un Papa en el cáliz.

PAÑO IV.— Historia de Henoch y Elías.

Escena 1.ª— San Juan recibe la vara para medir el templo del Señor. *Escena 2.ª*— Predicación de Henoch y Elías. *Escena 3.ª*— El Mal (dragón) ataca a ambos profetas, cuya muerte describe la *Escena 4.ª* En la *Escena 5.ª* las almas de los dos profetas son conducidas a la Gloria del Señor, que aparece rodeado de los 24 ancianos. *Escena 6.ª*— Los impíos y el dragón pretenden atacar a la Mujer vestida de Sol (la Virgen), acompañada del Angel, que recoge al Hijo recién nacido, y protegida del Señor, que aparece entre nubes junto al Arca, sobre el Ara. Al fondo, la destrucción de Babilonia.

PAÑO V.— Combate entre ángeles y demonios que pretenden atacar a la Mujer vestida de Sol.

Escena 1.ª— Batalla de San Miguel y sus ángeles contra los monstruos infernales. *Escenas 2.ª y 3.ª*— La Virgen vestida de Sol, protegida por el Angel, que le pone alas de águila para que huyendo del dragón de siete cabezas vuele al desierto. En las *Escenas 4.ª y 5.ª* la bestia, que sale del mar, es adorada por las gentes, quienes la levantan altares y la reverencian sobre una columna; otra bestia con cuernos de carnero es, también, adorada. *Escena 6.ª*— La bestia hace la guerra a Santos y fieles. *Escena 7.ª*— Sobre el Monte Sión, el Cordero y los escogidos; al fondo, el torrente que representa los cánticos de alabanza. Cristo, rodeado de los 24 ancianos y los símbolos de los Evangelistas, preside todas las escenas.

PAÑO VI.— Triunfo del Evangelio.

Escena 1.ª— El Angel muestra el Evangelio a los moradores de la Tierra. En la *Escena 2.ª* los impíos son atormentados con el fuego y el azufre a la vista de los Angeles y el Cordero. *Escenas 3.ª y 4.ª*— Dios-Hijo, sentado en la nube y sobre el Arca, con una hoz en la mano derecha, ordena al Angel el castigo de los malos. *Escenas 5.ª y 6.ª*— El Símbolo de San Marcos, en figura humana con cabeza de león nimbada, trasmite a los ángeles la orden de arrojar sobre la tierra las plagas contenidas en las copas.

PAÑO VII.— Las bodas del Cordero.

Escena 1.ª— Los ángeles lanzan el contenido de las copas de la ira de Dios, sobre Babilonia, el río Eufrates y la Bestia del mal; un grupo de mercaderes lamenta la ruina de Babilonia. *Escena 2.ª*— La meretriz (Babilonia) sentada a orillas de las aguas y a sus pies los reyes como emborrachados con el vino de su torpeza. En la *Escena 3.ª* la meretriz, sobre el dragón de siete cabezas, ofrece a los reyes de la tierra el cáliz de sangre (abominaciones), y en la *4.ª* aparece entre llamas, tormento que contemplan sus seguidores; corona todo ello el Angel que arroja la piedra de molino sobre el mar. En las *Escenas 5.ª y 6.ª*, Dios-Hijo, rodeado del Tetramorfos y los ancianos, celebra la destrucción de Babilonia y las bodas del Cordero con la Iglesia. *Escena 7.ª*— El ejército de Cristo sigue al Salvador, entronizado con el cetro en una mano y, en la boca, la espada llameante de dos filos. En la *Escena 8.ª* El Angel sobre el Sol congrega a las aves para que devoren la carne de la Tierra.

PAÑO VIII.— Triunfo de la Iglesia sobre el demonio encadenado en el Paraíso.

Escena I.ª— El Ejército de Cristo, sobre caballos blancos, combate las potencias infernales (dragón de 7 cabezas); vencen y encadenan al dragón en la *Escena 2.ª* En la *Escena 3.ª* el Angel muestra a San Juan la Apoteosis de Dios-Hijo; la ciudad santa de Jerusalén aparece cobijada por el Padre Eterno. La Iglesia triunfante se representa por una ciudad con muros y torres; ángeles guardan las puertas y un grupo de justos adora las visiones precedentes. La *4.ª Escena* la forma un Angel con una cartela alusiva a la serie de los tapices.

Por debajo de los tapices y frontales escultóricos que anuncian las capillas, corren a lo largo de los muros, a modo de zócalo, dos hiladas almohadilladas. Se quiebra así la sensación de fragilidad que acusaría la base de los paramentos, si éstos se deslizasen en lisa verticalidad.

Crucero.

Desde la gran nave se asciende al crucero por escalera de diez pasos. Vigorosos contrafuertes coronados por esculturas representativas de las fuerzas de los Ejércitos de Tierra, Mar y Aire y Milicias, dividen y decoran el tramo. Las figuras son obra de Antonio Martín y de Luis Antonio Sanguino. La labra tosca de los ropajes contrasta con el pulimento de rostros y brazos.

En la parte central del crucero varían las normas decorativas adoptadas en la nave y espacios que la preceden; no obstante, se logra la afinidad con éstos por su misma disparidad. La traza es rígidamente clásica en los lienzos murales, y sólo se quiebran en los cuatro arcos torales —sostén del casquete de la Cúpula—, formados por dovelas almohadilladas que se abocinan.

En la cabecera del Crucero se ha situado el Coro, de planta semicircular y en tres niveles de altura. Se compone de 70 sitiales de traza clásica. En los brazos laterales se abren dos capillas, techadas de mosaico. La situada a la derecha debe estimarse como última estación del Vía Crucis que recorre el Valle y circunda el Monumento. Sobre el Altar de esta Capilla está colocada una estatua de Cristo yacente, labrada en alabastro, y a uno y otro lado las imágenes de la Virgen y San Juan. Son obra de Lapayese, llamando extremadamente la atención la serena majestuosidad del Cristo, ajustado en su modelación a las normas clásicas de la escultura española de talla policromada.

En el centro mismo del Crucero y en verticalidad con la Cruz Monumental del exterior, está emplazado el Altar Mayor, formado por gigantesco monolito de granito pulimentado. El frontal anterior de la mesa del Altar se decora con un bajorelieve del Santo Entierro, en chapa dorada, diseñado por el arquitecto Diego Méndez y ejecutada por Espinós. El frontal posterior representa la Santa Cena.

Como único adorno del Altar, una talla monumental de Cristo en la Cruz, obra del escultor Beovide, discípulo del célebre pintor Ignacio Zuloaga, a quien se debe la policromía de la talla.

Tronco y brazos de la Cruz pertenecían a un enebro que seleccionó y cortó en el bosque de Riofrío el propio Generalísimo Franco. Conservada la talla en el palacio de El Pardo hasta su traslado e instalación en el Valle de los Caídos, la escultura nos ofrece un verdadero Cristo mayestático de tres clavos, y no obstante la exaltación anatómica de torso y abdomen, el desnudo presenta más bien formas redondas con macizas y largas piernas. Nada de retorcimientos ni buscadas sublimaciones de dolor; serenidad en el rostro, completamente descubierto, y paz en la dulce composición denuncian la majestuosidad de la figura.

Delante del altar Mayor se halla la tumba de José Antonio Primo de Rivera, fundador de Falange Española, trasladado allí desde el Monasterio de San Lorenzo el Real de El Escorial el año 1959. Detrás se ha situado el sepulcro de S. E. D. Francisco Franco Bahamonde, Jefe del Estado Español y Generalísimo de sus Ejércitos, fallecido en 20 de noviembre de 1975 e inhumado en la Basílica del Valle de los Caídos el día 24, a las dos y cuarto de la tarde. La fosa que contiene el féretro está revestida con chapas de bronce en la que se hallan cuatro emblemas: el escudo de España; el Guión del Generalísimo; la insignia de Capitán General y el Yugo y las Flechas. La lápida granítica que cierra la tumba pesa 1.500 kilos y en ella sólo figura una cruz grabada y el nombre FRANCISCO FRANCO.

Insertamos a continuación, por considerarla de interés histórico, el Acta de entrega del cuerpo difunto de S. E. el Generalísimo.

"Excmo. y Rvdmo. Padre Abad de la Basílica de la Santa Cruz del Valle de los Caídos y Reverenda Comunidad de Monjes: Habiéndose Dios servido llevarse para SI, a Su EXCELENCIA EL JEFE DEL ESTADO Y GENERALISIMO DE LOS EJERCITOS DE ESPANA, DON FRANCISCO FRANCO BAHAMONDE (e.e.G.e.) el pasado jueves, día 20 del corriente, he decidido que los Excmos. Sres. D. Ernesto Sánchez-Galiano Fernández y D. José Ramón Gavilán y Ponce de León, Primer y Segundo Jefes de la Casa Militar, y D. Fernando Fuertes de Villavicencio, Jefe de la Casa Civil de S. E. e Intendente General, que acompañan a los Restos Mortales de SU EXCELENCIA, os los entreguen. Y así os encarezco los recibáis y los coloquéis en el Sepulcro destinado al efecto, sito en el Presbiterio entre el Altar

Mayor y el Coro de la Basílica, encomendando al Excmo. Sr. Ministro de Justicia, Notario Mayor del Reino, D. José María Sánchez-Ventura y Pascual, que levante el Acta correspondiente a tan Solemne Ceremonia. Palacio de la Zarzuela, a las dieciséis horas del día veintidós de noviembre de mil novecientos setenta y cinco. — YO, EL REY. Al Excmo. y Rvdmo. Padre Abad Mitrado de la Basílica de la Santa Cruz del Valle de los Caídos, Dom Luis María de Logendio e Irure."

A continuación el Padre Abad manifiesta, en su propio nombre y en el de la Comunidad que regenta, que acepta como un honor la Orden de Su Majestad y que la cumplirá con el celo que corresponde a la alta misión que entraña.

Cúpula.

Pieza fundamental, por su proyección sobre la totalidad del Crucero, es el mosaico de la Cúpula. El arte musivario, manifestación artística que España heredó de Roma, tuvo fuerte arraigado en nuestro país, y magníficas son las piezas de mosaicos murales y de pavimentos conservados en Museos y colecciones particulares españolas; sin embargo, la decoración de masaico en cúpula se ofrece por primera vez en el Valle de los Caídos. La riqueza y complejidad de la composición nos recuerdan la variedad de las pinturas en mosaico de Italia, y, en cuanto a su estilo, el bizantino, con grandes influencias de la pintura de los códices medievales españoles, aunque dentro de la corriente del arte pictórico realista.

La orgía de color que presenta la bóveda, como consecuencia de la variedad y pureza de las *teselas* que forman el mosaico, cumple los efectos necesarios de compensación en contraste con la severidad de la piedra que cubre los lienzos murales del crucero. Y es tal su poder de proyección, que en cierto modo actúa de retablo del Altar Mayor, al que cubre y parece respaldada.

En cuanto a la representación, Cristo sedente —en moderna concepción de "Pantocrator"—, rodeado de ángeles, centra una serie de agrupaciones de santos, héroes y mártires, doctores, papas, prelados y campesinos que caminan hacia la Gloria de Dios. La imagen de la Virgen es, a su vez, centro de desfiles procesionales que se dirigen al Señor. La obra se debe al artista Santiago Padrós, y la acertada disposición de los grupos da sensación de mayor capacidad y elevación de la bóveda.

Dependencias necesarias al culto, galerías que conducen al ascensor de la cúpula y la Cruz, y galería de acceso al pórtico posterior, completan la construcción de esta gran basílica subterránea, la mayor de todos los tiempos, por ensanchamiento, elevación y profundidad de su nave.

Centro de Estudios Sociales.

Como parte integrante de esta Fundación de la Santa Cruz del Valle de los Caídos y junto a la finalidad religiosa del Monumento, estableció su Patrono el Caudillo de España Don Francisco Franco Bahamonde, otro fin igualmente fundamental, creando un Centro de Estudios Sociales para laborar en el conocimiento e implantación de la paz entre los hombres, sobre la base de la justicia social cristiana, instalándose en los amplios locales expresamente levantados que rodean la bellísima Lonja de la Abadía por su parte Norte.

El Estatuto fundacional para desarrollar este objetivo, se basa en los siguientes puntos:

Seguir al día la evolución del pensamiento social en el mundo; su legislación y realización.

Recopilar la doctrina de los Pontífices y pensadores católicos sobre la materia.

Mantener al día una Biblioteca especializada en materia religiosa y católica-social y llevar a cabo la redacción y en su caso divulgación de aquellos trabajos que sobre materia social realiza el Centro.

Preparar aquellos trabajos o informes que en orden a los problemas sociales le encargue el Patronato.

En el año 1961 se iniciaron las tareas del Centro, que quedó organizado en seis secciones: Moral y sistemas Sociales; Fichero de Doctrina Social Pontificia y de Realizaciones Sociales; Estructura Social de España; Socio-economía del Desarrollo; Cursos y Publicaciones y Bibliotecas.

A partir del mes de junio del año 1961, inició sus tareas con la organización de cursos, selección de equipos de investigación, preparación del Fichero de doctrina social y adquisición de fondos para la Biblioteca. El mismo año comenzó la publicación del Boletín del Centro de Estudios Sociales, que está en su cuarto año de existencia con doce volúmenes. Como resultado de los trabajos de investigación realizados, comenzó a publicarse desde el año 1962 una colección de "Arnales", en que se reúnen en volúmenes monográficos los estudios realizados en el Centro. Hasta el presente se han publicado ya siete volúmenes de esta colección y están en prensa otros tres.

El Centro, ha organizado o patrocinado diversas encuestas y trabajos de investigación sobre problemas de estructura social, organización cooperativa, emigración y niveles de consumo en España; estos trabajos le han permitido cooperar eficazmente en la Ponencia de supuestos sociales del Plan de Desarrollo Económico Social, establecido a partir de 1964. De otra parte, en los tres años de existencia ha completado un Fichero de Doctrina Social, abierto al público, con un total de 13.200 fichas castellanas y originales, que servirán de base para la preparación de volúmenes que den la máxima difusión a este caudal de pensamiento social católico.

El Centro organiza cursos para completar la Formación Social de universitarios y de quienes tienen una responsabilidad de dirección en las cooperativas españolas. Estos Cursos se han organizado con un carácter cíclico y sistemático y dan base a la expedición de un Diploma. Han desbordado el propio marco del Valle de los Caídos para establecer cursos filiales en otras regiones españolas dirigidos por el Centro. En el año 1965 y ampliando la acción del Seminario de Pedagogía y Didáctica Social, patrocinado por el Centro, se organizarán Cursos de este carácter para Profesores de Enseñanza Media y de Primera Enseñanza. El Instituto Social León XIII, organiza, también, con el patrocinio del Centro, Cursos intensivos estivales que, con la profundidad que permite el régimen de aislamiento e internado en los locales del Valle, facilitan a los estudios (especialmente sacerdotes) que no pueden desplazarse para seguir los Cursos normales del Instituto Social León XIII (que ha sido elevado recientemente a Facultad de rango universitario por la Santa Sede) recibir en los meses de verano, una formación paralela aunque más reducida a la de los Crusos organizados por dicho Centro, en Madrid. También se dan en los locales del Centro cursos de formación social, patrocinados por la Organización Sindical.

Una de las labores más importantes que el Centro ha realizado, ha sido la reunión de equipos de investigadores que redactan y preparan sus ponencias sobre un tema central de estudio, y los discuten en reuniones de Mesa Redonda, para perfilar una doctrina sobre el tema propuesto.

A estas reuniones de Mesa Redonda son invitados Profesores extranjeros que constatan así sus puntos de vista con los especialistas españoles y su estudios, revisados después de la discusión pública, ven la luz en los volúmenes de Anales a que hemos hecho referencia. Los títulos publicados hasta el presente y en preparación son los siguientes:

I.   De la Rerum novarum a la Mater et Magistra.

II. La Economía y el Hombre.

III. La empresa artesana y cooperativa a la luz de la doctrina social católica.

IV. Problemas morales de la Empresa en relación con el trabajo.

V.   La ciencia, la investigación y la técnica ante el desarrollo económico y el progreso social.

VI. El cooperativismo en la actual coyuntura española.

VII. Problemas morales de la Empresa en relación con el Estado.

VIII. Problemas sociales, económicos y morales de los movimientos de población en España.

IX. La agricultura española, el cooperativismo y otras formas de asociación agraria.

X.   Problemas morales de la Empresa en relación con la sociedad.

Esta mera anunciación dará idea de la importancia de la labor realizada.

La Biblioteca, suscrita a las más importantes revistas, reúne ya en la actualidad unos 10.000 volúmenes. Quienes desean trabajar en ella, pueden consultar los Ficheros duplicados que existen en Madrid, anejos a la Biblioteca del Instituto Balmes (Medinaceli, 4, 4.º).

Lonja, Monasterio y Hospedería.

Del lado opuesto al de llegada al Monumento se extiende un conjunto de edificaciones que bastarían para constituir en sí mismas un monumento aparte. Claustro, pórtico posterior, Monasterio y Noviciado, de una parte, y Hospedería y Centro de Estudios, de otra, están concebidos con la magnitud que el Valle requiere. En un rectángulo de 300 metros de longitud y 150 de anchura, acotado por airosa galería de pilares con arcos de medio punto, se hallan encuadradas las construcciones citadas, todas ellas en piedra granítica con techumbre de pizarra.

Situados en la lonja de estas edificaciones, nuevamente la magnitud de la Cruz monumental nos lleva a reconocer la belleza e importancia del Monumento, resultado de una labor conjuntada de arquitectura, escultura y artes industriales.

Sin intentos de rivalidades y simplemente ajustada la obra total al rigor y tono ascético con que fue concebida, su realización está en la línea de las grandes creaciones arquitectónicas y artísticas de todos los tiempos.

Entrada al Valle
Entrée au "Valle"
"Valles's" entrance

Talseingang
Entrata al "Valle"
Entrada ao "Valle"

Los Juanelos
Les "Juanelos"
The "Juanelos"

Die "Juanelos"
"Los Juanelos"
Os "Juanelos"

Vista general   Gesamtansicht
Vue générale   Vista generale
General view   Vista geral

Vista general   Gesamtansicht
Vue générale   Vista generale
General view   Vista geral

Vista de la Cruz y Jardines
Vue de la Croix et Jardins
View of the Cross and Gardens

Kreuz und Gärten
Vista della Croce e Giardini
Vista da Cruz e Jardins

Vista de la Cruz y Jardines
Vue de la Croix et Jardins
View of the Cross and Gardens

Kreuz und Gärten
Vista della Croce e Giardini
Vista da Cruz e Jardins

Vista de la Cruz y Jardines
Vue de la Croix et Jardins
View of the Cross and Gardens

Kreuz und Gärten
Vista della Croce e Giardini
Vista da Cruz e Jardins

Vista de la Cruz y aparcamientos   Kreuz und parkanlagen
Vue de la Croix et parking   Vista della Croce e "parking"
View of the Cross and parking   Vista da Cruz e o estacionamento

Fachada principal del Monumento
Façade principale du Monument
Main façade of the Monument

Hauptansicht der Vorderseite des Monumentes
Facciata principale del Monumento
Fachada principal do Monumento

Vista frontal de la Cruz (alt. 150 m.)   Vorderansicht des Kreuzes
Vue frontale de la Croix   Vista frontale della Croce
Frontal view of the Cross   Vista frontal da Cruz

La Piedad Die Pietät
La Pieté La Pieta
The Pity A Piedade

Puerta de entrada a la Basílica   Eintrittstür der Basilika
Porte d´entrée a la Basilique   Porta di entrata alla Basilica
Entrance gate to the Basilica   Porta de entrada da Basílica

Puerta de entrada a la Basílica
Porte d'entrée a la Basilique
Entrance gate to the Basilica

Eintrittstür der Basilika
Porta di entrata alla Basilica
Porta de entrada da Basílica

Cripta-Basílica. Reja
Crypte-Basilique. Grille
Crypt-Church. Grate

Gruft-Basilika. Gitter
Cripta-Basilica. Inferriata
Cripta-Basilica. Grade

Cripta Basílica. Detalle
Crypte-Basilique. Détail
Crypt-Church. Detail

Gruft-Basilika. Detail
Cripta-Basilica. Dettaglio
Cripta-Basilica . Pormenor

Virgen del Pilar
Vierge du Pilar
Virgin of the Pilar

Hl. Jungfrau Pilar
Vergine del Pilar
Virgen do Pilar

Virgen de Loreto   Hl. Jungfrau Loreto
Vierge de Loreto   Vergine di Loreto
Virgin of Loreto   Virgen de Loreto

Virgen de Africa   Hl. Jungfrau Africa
Vierge d´Africa   Vergine di Africa
Virgin of Africa   Virgen de Africa

Virgen del Carmen   Hl. Jungfrau Carmen
Vierge du Carmen   Vergine del Carmen
Virgin of the Carmen   Virgen do Carmen

Altar de la Virgen de la Merced   Altar der hl. Jungfrau Merced
Autel de la Vierge de la Merced   Altare della Vergine della Mercede
Altar of the Virgin of the Merced   Altar de Virgen de Mercê

Cripta-Basílica
Crypte-Basilique
Crypt-Church

Gruft-Basilika
Cripta-Basilica
Cripta-Basilica

Tapiz del Apocalipsis de San Juan
Tapis de l´Apocalipsis de St. Jean
"Apocalipsis de San Juan" Tapestry

Apokalipse teppich von Heilig Johann
Tappeto dell´Apocalipsis
Tapiz do Apocalipse de São João

Tapiz del Apocalipsis de San Juan
Tapis de l'Apocalipsis de St. Jean
"Apocalipsis de San Juan" Tapestry

Apokalipse teppich von Heilig Johann
Tappeto dell'Apocalipsis
Tapiz do Apocalipse de São João

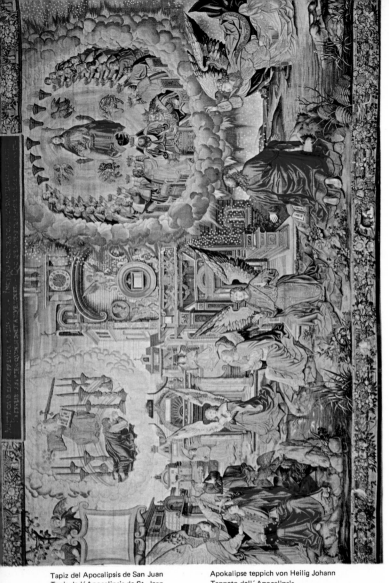

Tapiz del Apocalipsis de San Juan   Apokalipse teppich von Heilig Johann
Tapis de l´Apocalipsis de St. Jean   Tappeto dell´Apocalipsis
''Apocalipsis de San Juan'' Tapestry   Tapiz do Apocalipse de São João

Cripta-Basílica. Altar Mayor
Crypte-Basilique. Maître-Autel
Crypt-Church. Main Altar

Grutt-Basilika. Hautaltar
Cripta-Basilica. Altare Maggiore
Cripta-Basilica . Altar Maior

Detalle del Altar Mayor   Detail des Hauptaltars
Détail du Maître-Autel   Dettaglio dell'Altare Maggiore
Detail of the Main Altar   Pormenor do Altar Maior

AZRAEL. Escultura en bronce (alt. 8 m.)   Bronzeskulptur
Sculpture en bronze   Scultura di bronzo
Sculpture in bronze   Escultura em bronze

El Arcángel S. Miguel. Escultura en bronce (alt. 8 m.)
Sitial del Jefe del Estado   Ehrensitzt Staatschef
Siège du Chef d´Etat   Seggio del Capo di Stato
Presiding chair of the, Head of the State   Setial do Chefe do Estado

El Arcángel S. Gabriel. Escultura en bronce (alt. 8 m.)

Sitial del Padre Abad	Ehrensitzt vom Abt Pater
Siège du Père Abbé	Seggio del Padre Abate
Presiding chair of the Father Abbot	Setial do Padre Abade

El Arcángel San Rafael.
Escultura en bronce (alt. 8 m.)
Sculpture en bronze
Sculpture in bronze

Bronzeskulptur
Scultura di bronzo
Escultura em bronze

Basílica. Detalle del Altar Mayor
Basilique. Détail du Maître-Autel
Church. Detail of the Main Altar

Basilika. Detail des Hauptaitars
Basilica. Dettaglio dell'Altare Maggiore
Basilica. Pormenor do Altar Maior

Cristo del Altar Mayor
Christ du Maître-Autel
Christ of the Main Altar

Christur von Hochaltar
Cristo dell´Altare Maggiore
Cristo do Altar Maior

Cripta de la Basílica. Mosaico de la bóveda
Crypte de la Basilique. Mosaique de la voûte
Crypt of the Basilica. Mosaic of the vault

Gruft der Basilika. Mosaik des Gewölbes
Cripta della Basilica. Mosaico della volta
Cripta da Basilica. Mosaico de abóbeda

Cripta-Basílica. Cristo y bóveda
Crypte-Basilique. Christ et voûte
Crypt-Church. Christ and vault

Gruft-Basilika. Christus und Gewölbe
Cripta della Basilica. Cristo e volta
Cripta-Basilica. Cristo e Abóbeda

Altar desde el Coro

Coro — Chor
Chœur — Coro
Choir — Coro

Escolanía en el coro   Chorsänger im Chor
Manécanterie dans le chœur   Coro della scolaresca
Singing boys in the choir   Escolania no coro

Altar del Santísimo   Heligsteraltar
Autel du "Santísimo"   Altare del Santissimo
"Santísimo's" Altar   Altar do Santíssimo

Altar fin del Via Crucis   Altar der Kreuzigung
Autel fin du Via Crucis   Altare fine delle Via Crucis
Altar at the end of the Via Crucis   Altar fim do Via Crucis

Vista panorámica de la parte posterior del Monumento
Vue panoramique de la part postérieure du Monument
Panoramic view of the back of the Monument

Panorama der Rückseite des Monumentes
Veduta panoramica della parte posteriore del Monumen
Vista panorâmica da parte posterior do Monumento

Salida de la parte posterior
Sortie de la partie postérieure
Sally of the posterior part

Hinterer Ausgang
Uscita della parte posteriore
Saída da parte posterior

La Cruz   Das Kreuz
La Croix   La Croce
The Cross   A Cruz

Vista de la Cruz (alt. 150 m.) Ansicht des Kreuzes
Vue de la Croix   Vista della Croce
View of the Cross   Vista da Cruz

Figura de San Mateo
Figure de Saint Mathieu
St. Mattew´s figure

Figur des St. Matthäus
Figura di S. Matteo
Figura de São Mateus

Figura de San Lucas   Heilig Lukas
Figure de Saint Luc   Figura di San Luca
St. Luke´s figure   Figura de São Lucas

Figura de San Marcos   Heilig Markos
Figure de Saint Marc   Figura di San Marco
St. Mark´s figure   Figura de São Marcos

San Juan Evangelista (alt. 18 m.)   St. Johannes Evangelist
Saint Jean Evangéliste   S. Giovanni Evangelista
St. John Evangelist   São Yoão Evangelista

Vista panorámica de la parte posterior del Monumento   Panorama der Rückseite des Monumentes
Vue panoramique de la part. postérieure du Monument   Veduta panoramica della parte posteriore del Monumen
Panoramic view of the back of the Monument   Vista panorâmica da parte posterior do Monumento

La Cruz (alt. 150 m.) desde el estanque
La Croix dès l´étang
The Cross from the pond

Das Kreuz. Sicht vom Teich
La Croce. Dallago
A Cruz desde o lago artificial

Panorámica   Panorama
Panoramique   Panorama
Panoramic   Panorâmica

Poblado del Valle
Vue du "Valle"
"Valle's" view

Talsansicht
Vista della "Valle"
Vista do "Valle"

Vista general · Gesamtansicht
Vue générale · Vista generale
General view · Vista geral

La Cruz (alt. 150 m.) desde el estanque
La Croix dès l´étang
The Cross from the pond

Das Kreuz. Sicht vom Teich
La Croce. Dallago
A Cruz desde o lago artificial

Vista panorámica de la parte posterior del Monumento
Vue panoramique de la part postérieure du Monument
Panoramic view of the back of the Monument

Panorama der Rückseite des Monumentes
Veduta panoramica della parte posteriore del Monumen
Vista panorâmica da parte posterior do Monumento

Vista panorámica
Vue panoramique
Panoramic view

Panorama
Panorama
Vista panorâmica

Salida de la parte posterior   Hinterer Ausgang
Sortie de la partie postérieure   Uscita della parte posteriore
Sally of the posterior part   Saída da parte posterior

Vista del Monumento desde el Via Crucis
Vue du Monument dès "Via Crucis"
View of the Monument from "Via Crucis"

Denkmal von Via Crucis aus
Vista del Monumento da il "Via Crucis"
Vista do Monumento desde o "Via Crucis"

La Cruz (alt. 150 m.) desde el Via Crucis
La Croix dès "Via Crucis"
The Cross from "Via Crucis"

Das Kreuz gesehen von der "Via Crucis"
La Croce dalla "Via Crucis"
A Cruz desde a "Via Crucis"

Estación en el Via Crucis   Station in dem "Via Crucis"
Station du "Via Crucis"   Stazione nel "Via Crucis"
Station in the "Via Crucis"   Estação no "Via Crucis"

Camino del Via Crucis
Chemin du "Via Crucis"
"Via Crucis" way

Weg zum "Via Crucis"
Cammino del "Via Crucis"
Caminho do "Via Crucis"

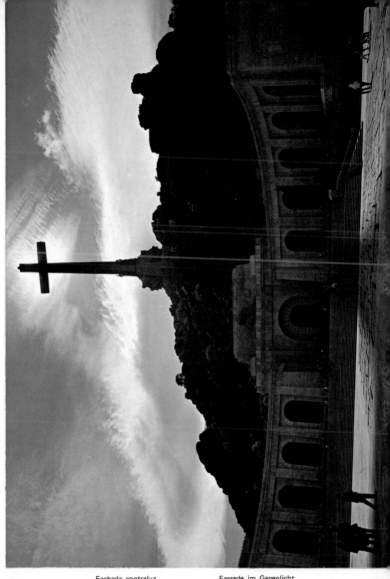

Fachada contraluz
Façade a contre-jour
Façade by counter-light

Fassade im Gegenlicht
Facciata centrale
Fachada contraluz

Claustro del Centro de Estudios Sociales
Cloître du Centre d´Etudes Sociaux
Cloister of the Centre of Social Studies

Kreuzgang der Unterrichtsanstalt von sozial Studium
Claustro del Centro degli Studi Sociali
Claustro de Centro de Estudios Sociais

Centro de Estudios Sociales. Sala de Actos
Centre d'Etudes Sociaux. Salle d'Actes
Centre of Social Studies. Drawing-room

Zentrum Sozialer Forschung. Sitzungssaal
Centro di Studi Sociali. Salone di Atti
Centro de Estudos Sociais. Salão de Actos

La Cruz   Das Kreuz
La Croix   La Croce
The Cross   A Cruz

GUIAS TURISTICAS
PATRIMONIO NACIONAL

PATRIMONIO NACIONAL

COLECCION SELECTA

LIBRO DE HORAS
DE ISABEL LA CATOLICA

LIBRO DE LA MONTERIA
DEL REY DE CASTILLA ALFONSO XI

FIESTAS REALES
EN EL REINADO DE FERNANDO VI

LAS PAREJAS
JUEGO HIPICO DEL SIGLO XVIII

EL CODICE AUREO
LOS CUATRO EVANGELIOS

TEATRO MILITAR DE EUROPA
UNIFORMES ESPAÑOLES

CANTIGAS DE SANTA MARIA

GABINETE DE LETRAS

TRUJILLO DEL PERU
EN EL SIGLO XVIII (Tomo I)

CRONICA TROYANA

TRUJILLO DEL PERU
(Tomo II)

LIBRERIA EDITORIAL PATRIMONIO NACIONAL PL. ORIENTE, 6 - MADRID- 13

PATRIMONIO NACIONAL

EDICIONES

EL ESCORIAL
IV CENTENARIO
(dos volúmenes)

EL ESCORIAL
OCTAVA MARAVILLA DEL MUNDO

PALACIOS Y MUSEOS DEL PATRIMONIO NACIONAL

PALACIO REAL DE MADRID

COLECCIONES REALES DE ESPAÑA
EL MUEBLE

CONDECORACIONES ESPAÑOLAS

REVISTA REALES SITIOS
PUBLICACION TRIMESTRAL

MUSEOS DE MADRID

MUSEOS DE BARCELONA

LIBRERIA EDITORIAL PATRIMONIO NACIONAL PL. ORIENTE, 6 - MADRID-13